Julián tiene miedo

SOPA DE CUENTOS

© Del texto: Eliacer Cansino, 2009
© De las ilustraciones: Marina Marcolin, 2009
© De esta edición: Grupo Anaya, S.A., 2009
Juan Ignacio Luca de Tena, 15. 28027 Madrid
www.anayainfantilyjuvenil.com
e-mail: anayainfantilyjuvenil@anaya.es

Primera edición, abril 2009

Diseño: Manuel Estrada

ISBN: 978-84-667-8467-2
Depósito legal: Bi. 655/2009

Impreso en Grafo, S. A.
Avda. Cervantes, 51
48970 Basauri (Vizcaya)
Impreso en España - Printed in Spain

Las normas ortográficas seguidas en este libro
son las establecidas por la Real Academia Española
en su última edición de la *Ortografía,* del año 1999.

Eliacer Cansino

Julián
tiene miedo

Ilustraciones de Marina Marcolin

ANAYA

Cuando llega la noche mamá dice:
—¡Todos a la cama!
Me asomo a la ventana y todo está oscuro. Hay una farola encendida y, junto a ella, un perro solitario.

Ahora es cuando me empieza
a dar miedo, porque no se oye
el televisor, ni a papá ni a mamá,
que casi seguro están en su cuarto
leyendo.

Me vuelvo a asomar a la ventana: el perro ya no está, y ahora, en su lugar, hay un hombre con un sombrero.

—¡Mamá! ¡Papá! —grito para que venga alguno de los dos.

—Acuéstate, Julián. Ahora vamos —oigo decir a papá.

Me quito las zapatillas
y salto a la cama. Me tapo
hasta el cuello y me quedo
así mirando al techo.

Cuando pasa un coche por la calle,
las luces iluminan la habitación y veo
sombras que se mueven por las paredes.

—¡Papá! ¡Mamá! ¡Venid a darme
un beso!

—Ahora vamos, Julián. Duérmete.

¡Eso, duérmete! ¡Como si fuera fácil!

En la calle todo está oscuro. Junto
a la farola está el hombre del sombrero,
y la casa está tan silenciosa que solo
escucho ruidos extraños.

Cierro los ojos y me meto debajo de las sábanas. Me quedo quieto.
De pronto, oigo un ruido: ¡clic!

Cuando asomo la cabeza, alguien ha apagado la luz.

—¿Por qué apagáis la luz?

—Duérmete, Julián. Soy yo, papá. Estoy aquí. No pasa nada.

Claro, a él no le pasará nada porque está con mamá, pero yo estoy solo.

Ahora vuelvo a oír ruidos extraños.
¿Estará subiendo el hombre
del sombrero por la ventana?
¿Habrá algún ratón en el armario
comiéndose mis muñecos?

—¡Mamá! ¡Ven! ¡Tengo miedo!

Oigo pasos por el pasillo. Me escondo debajo de la almohada, me acurruco, y entonces...

—¿Qué pasa, Julián?

¡Oh, es mamá! ¡Qué suerte!

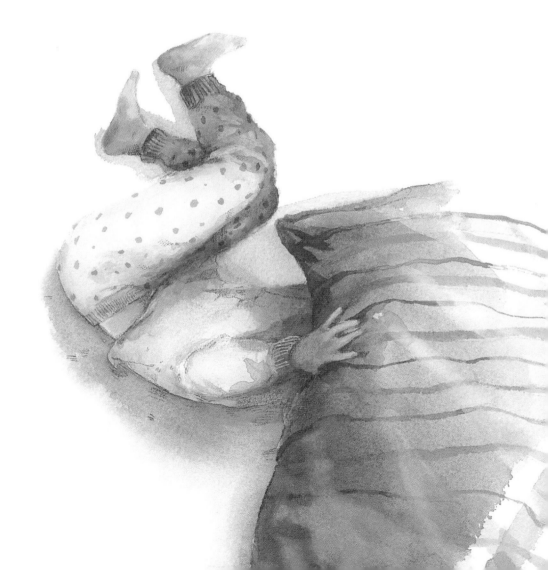

Mamá enciende la lámpara
de la mesilla y se sienta en la cama.
Me acaricia el pelo.

—No debes tener miedo.
La noche es para dormir.
El sol también duerme,
por eso está todo oscuro.

—¿Y los ruidos del armario?
A lo mejor hay algún ratón...

Mamá abre el armario.

—Mira —dice—, no hay
ningún ratón. Solo están tus
juguetes, tu ropa, tus zapatos.

—¿Y en la calle? Yo he visto
a alguien...

Mamá se asoma a la ventana
y me dice:

—Ven, mira.

Yo me levanto y también me asomo.

—¿Ves? No hay nadie. Solo los
que recogen la basura.

Es verdad, allí están los basureros
con sus trajes fosforescentes.

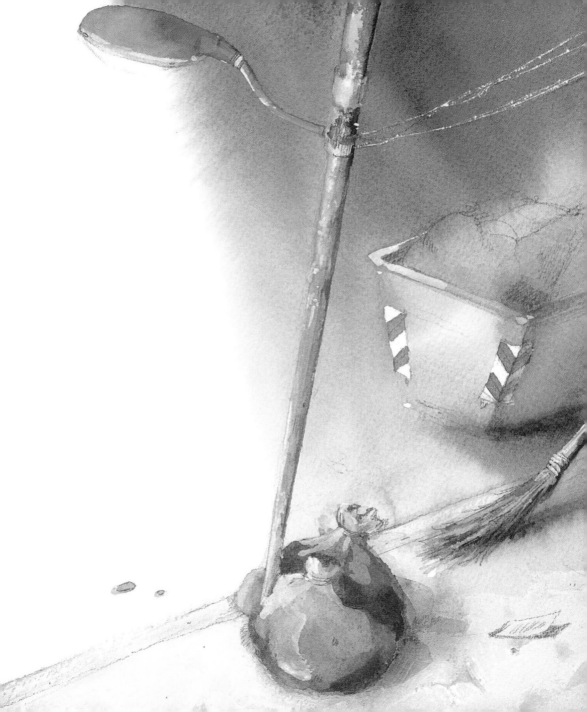

—Quédate un poquito —le digo
a mamá.

—Bueno, solo un poquito.
Mamá apaga la luz y se echa
a mi lado.

En la calle se oyen las voces de
los basureros. Alguno está cantando.
La luz anaranjada del camión se refleja
en la pared.

Ya no tengo miedo. Oigo respirar
a mamá. Y, poco a poco, me voy
quedando dormido.

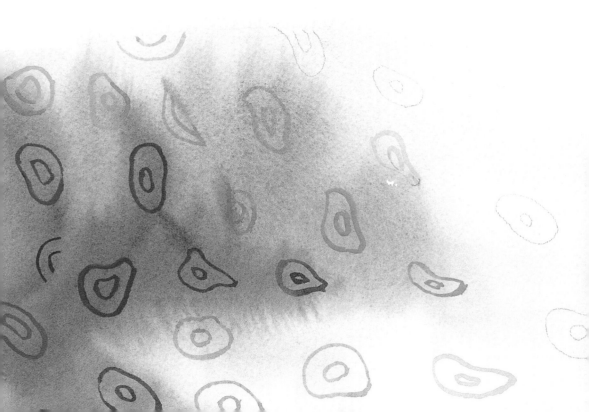